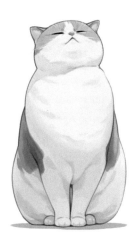

고양이가 되어볼래

고양이가 되면 어떤 느낌인지,
알고싶지 않아?

이것 하나는 자신있게 말할 수 있어.
모두에게서 사랑받는 존재가 될 거야.

커다란 눈망울을 봐!
보석같이 반짝반짝 빛나고 있어.

그 눈망울을 굴리면서
살랑거리는 바람 소리를 느끼다가
귀를 쫑긋거리며 고롱거리겠지.

명심해.
하루종일 귀찮게 할 수도 있어.
놀아달라고 쉬지 않고 앵앵거릴꺼야.

일하는 데 성가실 수도 있을꺼야.
비밀이지만, 난 사람을 좋아하거든.
하루종일 나와 있었으면 좋겠어.

때로는 소설 속 주인공이 될 수도 있을꺼야.
기왕이면 숲 속을 지키는 수호신이었으면 좋겠다.

아니면,
꿈 속을 지켜주는
거대한 고양이가 될 수도 있지!

노골적으로 쳐다보지 말아줄래?
난 내가 원할 때만
너에게 애정을 줄 거야.

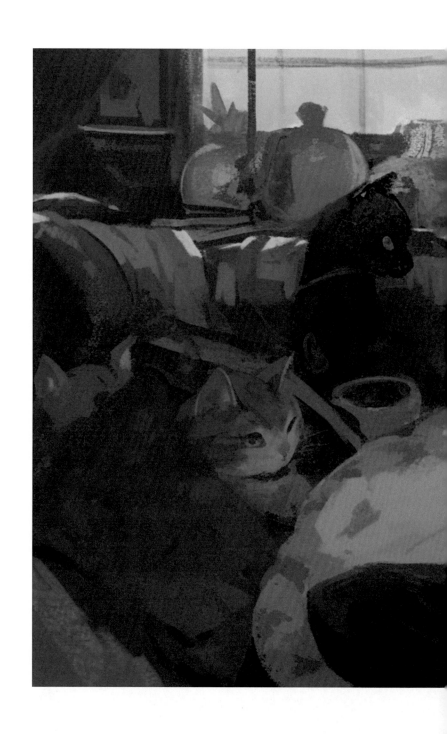

하지만 나는 규칙적으로 뛰는 너의 맥박과
따뜻한 온기가 세상에서 제일 좋아.

궁금한 건 궁금한거야.
호기심이 너무 많아서 탈이라니깐.

고양이는 뭐든 제멋대로야.
잠자는 것도 그래.

이런 맙소사!
내가 가장 좋아하는 생선 오로라야!
이게 꿈이야, 생시야?

하루종일 이렇게
창가에 앉아있을 수도 있어.
밖에 나가는 건 싫어하면서 말이야.

하지만 햇볕을 쬐는 것은 참을 수 없지!
이 때는 꼭 밖으로 나가야 해.
기와가 있는 지붕이면 더 좋겠어.

그게 어느 때가 되었든,
너는 마음의 평안을 얻게 될 거야.
고양이란 그런 존재거든.

잠깐, 그대로 나를 안고 있어줄래?

내 매력에 퐁당 빠져버릴 준비는 됐지?

잠깐, 언제였더라?
슬픔에 빠져 날이 밝아올 때까지
네가 숨죽여 울었던 기억이 나.

사실, 안 괜찮아도 돼.
슬플 때는 마음껏 울어!

필요할 때는 잠시 쉬어가도 돼.
기꺼이 자리를 내줄 수 있어.

우리는 동반자니까.
모든 걸 혼자 겪을 필요는 없어.

꼭 누군가와 함께 해야 한다면,
그건 나였으면 좋겠어.

글,그림 / 변아롱 BYEON A-RONG

world.of.small

디자인, 웹툰 경력 15년차가 꼼꼼히 맞춤으로 디자인 및 제작을 하는
공방인 몽땅제작소를 운영하고 있습니다.
디지털 드로잉 및 디지털 툴 관련 온.오프라인 강의 및
일러스트레이터, 인스타툰 작가로 활동하며
장애인 인식 개선을 위해 다양한 캠페인을 하고 있습니다.

이 책은 Chat GPT4와 Midjourney, Photoshop으로 제작하였습니다.

고양이가 되어볼래

발 행 | 2024년 4월 17일
저 자 | 변아롱
펴낸곳 | 주식회사 부크크
출판사등록 | 2014.07.15(제2014-16호)
주 소 | 서울특별시 금천구 가산디지털1로 119 SK트윈타워 A동 305호
전 화 | 1670-8316
이메일 | info@bookk.co.kr

ISBN | 979-11-410-8162-1

www.bookk.co.kr